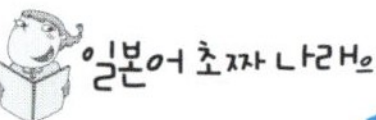

손 쉽게 떠 먹는 일 본어 첫걸음

박지현 저

핸드북

9788940207024

KB259696

(주)시사일본어사
www.japansisa.com

- 손쉽게 떠먹는 일본어 첫걸음 핸드북은 휴대하기에 부담없는 사이즈로 학습자들이 간편하게 들고 다니면서 본교재에서 학습한 내용을 복습할 수 있도록 알차게 꾸며져 있습니다.

- 교재의 회화문과 단어를 과별로, 본교재와 같은 순서로 배열하여 쉽고 편하게 볼 수 있도록 하였습니다.
  또한 point에 나온 문법사항들과 표현, 생생한마디, 그림으로 익히는 단어들을 따로 정리해두어 학습에 도움이 되도록 하였습니다.

- 외국어를 마스터 하기 위해서는 어휘력과 반복학습이 중요합니다. 손쉽게 떠먹는 일본어 첫걸음 핸드북을 늘 손에 들고 다니면서 일본어 마스터를 향해 한걸음 한걸음 나아가시기를 바랍니다.

Chapter 01

Let's Talk

はじめまして。

ナレ：はじめまして。キム・ナレです。

マリ：どうぞ、よろしく　おねがいします。

ナレ：はじめまして。森山マリです。
もりやま

マリ：こちらこそ、どうぞ　よろしく。

ナレ：森山さんは　大学生ですか。
もりやま　　　　だいがくせい

マリ：いいえ、大学生じゃありません。
だいがくせい

高校生です。
こうこうせい

처음뵙겠습니다.

나래 처음뵙겠습니다. 김 나래에요.
　　아무쪼록 잘 부탁 드립니다.
마리 처음뵙겠습니다. 모리야마 마리에요.
　　저야말로 잘 부탁해요.
나래 모리야마 씨는 대학생이세요?
마리 아니요, 대학생이 아니에요.
　　고등학생이에요.

New word

はじめまして 처음 뵙겠습니다
どうぞ　よろしく 아무쪼록 잘(부탁 합니다)
おねがいします 부탁합니다
こちらこそ 저야말로
～さん ～씨(상대방을 높여 부르는 말)
大学生(だいがくせい) 대학생(＊학생은 「がくせい」라
　고 쓰지만 발음할 때는 [각세-]라고 발음한다)
いいえ 아니요
～じゃ　ありません ～이/가 아닙니다
高校生(こうこうせい) 고등학생

Chapter 02

Let's Talk　　何人
なんにん　かぞくですか。

マリ：ナレちゃんは　何人
なんにん　かぞくですか。

ナレ：5人
ごにん　かぞくです。　りょうしんと　あねと
おとうとです。

マリ：ナレちゃんの　おねえさんは　高校生
こうこうせい？

ナレ：ええ、森山
もりやま　さんと　おないどしです。

마리 나래는 몇 식구예요?
나래 다섯 식구예요. 부모님과 언니와 남동생이예요.
마리 나래의 언니는 고등학생?
나래 네, 모리야마 씨와 동갑이예요.

New word

ちゃん ~さん의 애칭
何人(なんにん) 몇 명
かぞく(家族) 가족
りょうしん(両親) 부모님
~と ~랑
あに(兄) 형, 오빠
ひとり(一人) 한 명
おとうと(弟) 남동생
おねえ(姉)さん (남의 가족을 높여 부르는때) 언니
おないどし 동갑

Chapter 03

Let's Talk

これは　何ですか。

ナレ：これは　何ですか。

マリ：それは　私の　兄の　デジカメ。

ナレ：この　男の人は　だれですか。

マリ：その人は～。私の彼。

ナレ：へえー、恋人？

マリ：そう。

이건 무엇입니까?

나래 이건 뭐예요?

마리 그건 우리 오빠의 디지털카메라야.

나래 이 남자 누구예요?

마리 그 사람은~, 내 남자친구.

나래 오호-, 애인?

마리 그래.

New word

これ 이, 이것

デジカメ 디지털카메라(デジタルカメラ의 줄임말)

男(おとこ) 남자

人(ひと) 사람

男(おとこ)の人(ひと) 남자(＊보통 '남자'는 「男」 보다는
「男の人」)라고 한다)

だれ 누구

彼(かれ) 남자친구, 또는 3인칭 대명사 '그'

恋人(こいびと) 애인

そう 그래, 맞아

Chapter 04

Let's Talk

いつですか。

みんな：マリちゃん、たんじょう日　おめでとう！

マリ：ありがとう。

大介：ナレちゃんの　たんじょう日は　いつ？

マリ：9月　3日です。大介さんは？

大介：ぼくは　5月　5日。

マリ：あっ、こどもの日ですね。

모두	마리야, 생일 축하해.
마리	고마워.
다이스케	나래 생일은 언제야?
나래	9월 3일이에요. 다이스케 씨는요?
다이스케	난 5월 5일.
나래	앗, 어린이 날이군요.

New word

みんな 모두

たんじょうび(誕生日) 생일

おめでとう(ございます) 축하해(축하합니다)

いつ 언제

ぼく(僕) 나, 저(남자만 쓰는 1인칭 대명사)

こども(子供)の日(ひ) 어린이 날

Chapter 05

Let's Talk

何時ですか。
なん じ

大介：ナレちゃん、今、何時？！
だいすけ　　　　　　　　　　　　いま　なんじ

マリ：7時　30分です。
　　　しちじ　さんじゅっぷん

大介：本当？　もう　こんな　時間？
だいすけ　ほんとう　　　　　　　　　　　　じかん

マリ：あっ！　そうだ。8時から　サッカーで
　　　　　　　　　　　　　　はちじ
　　　すよね。

大介：家まで　タクシーで　いく？
だいすけ　いえ

マリ：ええ、そうしましょう。

몇 시예요?

다이스케	나래야, 지금 몇시야?
나래	7시 30분이에요.
다이스케	진짜? 벌써 시간이 이렇게 됐어?
나래	앗! 맞다. 8시부터 축구였죠?
다이스케	집까지 택시로 갈까?
나래	네, 그래요.

New word

今(いま) 지금

何時(なんじ) 몇 시

本当(ほんとう) 진짜, 정말

サッカー 축구

よね ~군요, 그렇죠?(상대방에게 동의를 구할 때 쓰는 종조사)

家(いえ) 집

タクシー 택시

~で ~으로(수단)

そうしましょう 그렇게 합시다

Chapter 06

Let's Talk

いくらですか。

店員
てんいん ： いらっしゃいませ。

ナレ ： この　ガム　ください。いくらですか。

店員
てんいん ： 120 円です。
ひゃくにじゅう えん

ナレ ： あのう…、トイレは　どこですか。

店員
てんいん ： お手洗いは　あそこです。
て あら

ナレ ： どうも。

얼마예요?

점원 어서오세요.
나래 이 껌 주세요. 얼마죠?
점원 120엔입니다.
나래 저기… 화장실은 어디죠?
점원 화장실은 저쪽에요.
나래 감사합니다.

New word

いらっしゃいませ 어서오세요

ガム 껌

ください 주세요

トイレ 화장실 (영어 "toilet"의 일본식 표현)

お手洗(てあら)い 화장실

あそこ 저쪽

どうも 고마워요

Chapter 07

Let's Talk

パンダが　います。

大介（だいすけ）：ナレちゃん、韓国（かんこく）にも　パンダが　いる？

ナレ：ええ、いますよ。ソウル大公園（だいこうえん）に

います。

大介（だいすけ）：ソウル大公園（だいこうえん）って　どこに　あるの？

ナレ：ソウルの　南（みなみ）に　あります。

팬터곰이 있습니다.

다이스케   나래야, 한국에도 팬더곰이 있어?
나래   예, 있어요. 서울대공원에 있어요.
다이스케   서울대공원은 어디에 있는데?
나래   서울의 남쪽에 있어요.

New word

韓国(かんこく) 한국　　　　　～にも ～에도

パンダ 팬더곰

います 있습니다(＊いる–있다)

ソウル大公園(だいこうえん) 서울대공원

～に ～에

～って ～라는 건(앞에 나온 명사를 지칭하는 말)

どこに 어디에

～の ～거야?(문말에 붙어 감동 또는 의문을 나타내는 종조사)

南(みなみ) 남쪽

あります 있습니다(＊ある–있다)

Chapter 08

Let's Talk

理想が　高い！
りそう　　たか

ナレ：マリさんは　どんな　タイプの　人が

　　　好きですか。
　　　す

マリ：私？　えーと…。頭が　よくて、おもしろ
　　　わたし　　　　　　　あたま

　　　くて、背が　高くて、スマートな　人！
　　　　　せ　　たか　　　　　　　　　　ひと

ナレ：マリさんって　理想が　高いですね。
　　　　　　　　　　　りそう　　たか

マリ：へえー。そう？　ナレちゃんは　どんな

　　　人が　好き？
　　　　　　す

ナレ：私は　静かで
　　　わたし　しず

　　　やさしい

　　　人が　好きです。
　　　ひと　　す

눈이 높아!

나래　마리 씨는 어떤 타입의 사람이 좋아요?
마래　나? 음, 그러니까…. 머리가 좋고 재밌고,
　　　 키가 크고, 스마트한 사람!
나래　마리 씨는 눈이 높네요.
마래　오호~, 그래? 나래는 어떤 사람이 좋아?
나래　나는 조용하고 상냥한 사람이 좋아요.

New word

どんな 어떤　　　　　　タイプ 타입, 이상형
人(ひと) 사람　　　　　好(す)きだ 좋아하다
えーと 그게, 그러니까　頭(あたま) 머리
いい/よい 좋다
背(せ)が 高(たか)い 키가 크다
スマートだ 스마트하다
理想(りそう)が 高(たか)い 눈이 높다
静(しず)かだ 조용하다　　　やさしい 상냥하다

Let's Talk

夢を　見ました。

Ⅰ　ナレは　まほうの　ドレスを　着ました！

わあ〜、とても　きれいです！

さぁー、今から　パーティーへ。

Ⅱ　「あの…、ぼくと　踊りませんか」

大介が　言いました。

「ええ、よろこんで…」

二人は　夢のような　気分で　踊りました。

꿈을 꿨어요.

Ⅰ　나래는 마법의 드레스를 입었습니다!
　　와~ 너무 예뻐요. 자, 지금부터 파티에.
Ⅱ　「저…, 저랑 춤추실래요?」다이스케가 말했습니다.
　　「예, 기꺼이…」
　　둘은 꿈 같은 기분으로 춤추었습니다.

New word

まほう(魔法) 마법

ドレス 드레스

着(き)る 입다

踊(おど)る 춤추다

言(い)う 말하다

ええ、よろこんで 예, 기꺼이

夢(ゆめ)のような 꿈 같은

気分(きぶん)で 기분으로

Let's Talk

夢を　見ました。

Ⅲ　「ピピピピー(めざましの　音)」

8時です！

もう、朝です。いい　夢を　見ました。

なんだか　胸が　ドキドキします。

꿈을 꿨어요.

Ⅲ 「삐삐삐삐-(알람시계 소리)」
8시입니다！

벌써, 아침이에요. 좋은 꿈을 꾸었어요.
왠지 가슴이 두근거려요.

New word

めざ(目覚)まし 알람시계

音(おと) 소리

朝(あさ) 아침

胸(むね) 가슴

ドキドキする 두근두근하다

*'꿈을 꾸다'라고 할 때는 '꿈을 보다'라는 의미로 동사
「見(み)る」를 써서 「夢(ゆめ)を 見(み)る」라고 합니다.

Let's Talk

遊びに 行きたい。

マリ：あー、お腹 ペコペコ！ ナレちゃん、

　　　何か 食べに 行く？

ナレ：いいですね。あのう…、大介さんも

　　　誘いませんか？

マリ：それ、いいね。う〜ん、じゃ、家族

　　　みんなで 行く？

ナレ：ええ、いいですよ。

New word

お腹(なか) 배

ペコペコだ 배고프다

何(なん)か 뭔가

食(た)べる 먹다

食(た)べに 먹으러

行(い)く 가다

誘(さそ)う (함께 하기를) 권유하다

みんなで 함께, 모두

Let's Talk

遊びに　行きたい！

マリの父：今日は　ごちそうするよ！

　　　　　ナレちゃん、好きなもの　頼んで。

ナレ　　：ありがとうございます。　今度は　みん

　　　　　なで　韓国に　来て　くださいね。

マリの母：韓国旅行、いいね。ソウル市内へも

　　　　　遊びに　行きたいわ。

ナレ　　：今度は　私が

　　　　　案内します。

New word

ごちそうする 대접하다

頼(たの)んで 부탁하렴(주문하렴)

ありがとうございます 고맙습니다

今度(こんど) 이번에, 다음 번에

みんなで 다 같이

来(き)て　ください ね 오세요

韓国旅行(かんこくりょこう) 한국여행

市内(しない) 시내　　　　遊(あそ)ぶ 놀다

行(い)きたい 가고 싶다　　案内(あんない)する 안내하다

	숫자	수사	인원	나이(才)
1	いち	ひとつ	ひとり	いっさい
2	に	ふたつ	ふたり	にさい
3	さん	みっつ	さんにん	さんさい
4	し(よん)	よっつ	よにん	よんさい
5	ご	いつつ	ごにん	ごさい
6	ろく	むっつ	ろくにん	ろくさい
7	しち(なな)	ななつ	しちにん	ななさい
8	はち	やっつ	はちにん	はっさい
9	きゅう(く)	ここのつ	きゅうにん	きゅうさい
10	じゅう	とお	じゅうにん	じゅうさい
11	じゅういち		じゅういちにん	じゅういっさい
12	じゅうに		じゅうににん	じゅうにさい
몇	なん	いくつ	なんにん	なんさい

＊20살은「はたち」

	자루 · 개(本ほん)	층(階かい)	～장(枚まい)	～권(冊さつ)
1	いっぽん	いっかい	いちまい	いっさつ
2	にほん	にかい	にまい	にさつ
3	さんぼん	さんがい	さんまい	さんさつ
4	よんほん	よんかい	よんまい	よんさつ
5	ごほん	ごかい	ごまい	ごさつ
6	ろっぽん	ろっかい	ろくまい	ろくさつ
7	ななほん	ななかい	ななまい	ななさつ
8	はっぽん	はちかい	はちまい	はっさつ
9	きゅうほん	きゅうかい	きゅうまい	きゅうさつ
10	じゅっ(じっ)ぽん	じゅっかい	じゅうまい	じゅっさつ
11	じゅういっぽん	じゅういっかい	じゅういちまい	じゅういっさつ
12	じゅうにほん	じゅうにかい	じゅうにまい	じゅうにさつ
몇	なんぼん	なんかい	なんまい	なんさつ

나의 가족		남의 가족
両親(りょうしん)	부모님	ご両親(りょうしん)
祖父(そふ)	할아버지	おじいさん
祖母(そぼ)	할머니	おばあさん
父(ちち)	아버지	お父(とう)さん
母(はは)	어머니	お母(かあ)さん
兄(あに)	형, 오빠	お兄(にい)さん
姉(あね)	누나, 언니	お姉(ねえ)さん
弟(おとうと)	남동생	弟(おとうと)さん
妹(いもうと)	여동생	妹(いもうと)さん
主人(しゅじん)	남편	ご主人(しゅじん)
子供(こども)	아이	お子(こ)さん
息子(むすこ)	아들	息子(むすこ)さん
娘(むすめ)	딸	娘(むすめ)さん
孫(まご)	손자	お孫(まご)さん

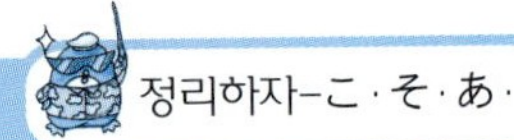

 こ  말하는 사람에게서 가까운 것	そ  듣는 사람에게서 가까운 것
あ  대화 당사자 모두에게서 멀리 떨어진 것	ど  묻고자 하는 대상이 무엇인지 모를 때

	こ(이)	そ(그)	あ(저)	ど(어느)
사물	これ 이것	それ 그것	あれ 저것	どれ 어느 것
명사수식	この〜 이〜	その〜 그〜	あの〜 저〜	どの〜 어느〜
장소	ここ 여기	そこ 거기	あそこ 저기	どこ 어디
방향	こちら 이쪽	そちら 그쪽	あちら 저쪽	どちら 어느쪽

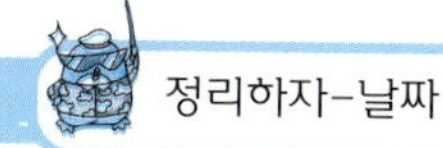

1월~12월

1月	2月	3月	4月	5月	6月
いちがつ	にがつ	さんがつ	しがつ	ごがつ	ろくがつ
7月	8月	9月	10月	11月	12月
しちがつ	はちがつ	くがつ	じゅうがつ	じゅういちがつ	じゅうにがつ

요일말하기

月	火	水	木
げつようび	かようび	すいようび	もくようび
金	土	日	何
きんようび	どようび	にちようび	なんようび

때를 나타내는 말

← 과거 →		현재	← 미래 →	
おととい	きのう	**きょう**	あした	あさって
(그저께)	(어제)	(오늘)	(내일)	(모레)
せんせんしゅう	**せんしゅう**	こんしゅう	らいしゅう	さらいしゅう
(지지난주)	(지난주)	(이번주)	(다음주)	(다다음주)

● 1일~31일

1日	2日	3日	4日	5日
ついたち	ふつか	みっか	よっか	いつか
6日	7日	8日	9日	10日
むいか	なのか	ようか	ここのか	とおか
11日	12日	13日	14日	15日
じゅういちにち	じゅうににち	じゅうさんにち	じゅうよっか	じゅうごにち
16日	17日	18日	19日	20日
じゅうろくにち	じゅうしちにち	じゅうはちにち	じゅうくにち	はつか
21日	22日	23日	24日	25日
にじゅういちにち	にじゅうににち	にじゅうさんにち	にじゅうよっか	にじゅうごにち
26日	27日	28日	29日	30日
にじゅうろくにち	にじゅうしちにち	にじゅうはちにち	にじゅうくにち	さんじゅうにち
31日	何日			
さんじゅうにち	なんにち			

● 시간

1시	2시	3시	4시	5시	6시
いちじ	にじ	さんじ	よじ	ごじ	ろくじ
7시	8시	9시	10시	11시	12시
しちじ	はちじ	くじ	じゅうじ	じゅういちじ	じゅうにじ

● 분

1분(分)	2분	3분	4분	5분
いっぷん	にふん	さんぷん	よんぷん	ごふん
6분	7분	8분	9분	10분
ろっぷん	ななふん	はっぷん	きゅうふん	じゅっぷん／じっぷん

● 시각을 나타내는 표현

반(30분)	~시 넘어	정확히
はん	~時すぎ	ちょうど
5분 전	5분 빠르다	5분 느리다
ごふんまえ	ごふん すすんでいる	ごふん おくれている

うえ(위)

した(아래)

うしろ(뒤)

まえ(앞)

あいだ(사이)

となり(이웃)

そば(옆)

みぎ(오른쪽)

ひだり(왼쪽)

● い형용사의 활용

1) ～い＋명사 : 명사를 꾸밀 때 어미의 모양을 바꾸지 않고
　　　　　　　명사 앞에 그대로 붙입니다.

　① 大（おお）きい　かばん　　② あたらしい　くるま
　크다+가방→큰가방　　　　새롭다+차→새차

2) ～いです : 존댓말로 만들 때는 어미 끝에「～です」를
　　　　　　　붙입니다.

　① あついです。　　　② おいしいです。
　덥습니다.　　　　　　맛있습니다.

3) ～く ありません : 부정형으로 만들 때에는「い」를「く」
　　　　　　　　　　로 바꾸고「ありません」을 붙입니다.

　① やすく　ありません。② いそがしく　ありません。
　싸지 않습니다.　　　　　바쁘지 않습니다.

　예외) いい→よくありません (いくありません×)
　　　좋다→좋지 않습니다

4) ～くて～ : 둘 이상의 「い형용사」를 연결할 때는 「い」를
　　　　　　　「～くて」로 바꾸고 붙입니다.

① ひろくて　明るいです。　② ふるくて　きたないです。
넓고 밝습니다.　　　　　　　　　낡고 더럽습니다.

예외) いい→よくて (いくて×)

좋다→좋고

5) ～かったです : 「い형용사」의 과거형을 만들 때는 「い」를
　　　　　　　　　「～かった」로 바꿉니다.
　　　　　　　　　정중형은 「～かったです」로 바꿉니다.

① おもしろかったです。　② たのしかったです。
재밌었습니다.　　　　　　　　　즐거웠습니다.

예외) いい→よかったです (いかったです×)

좋다→좋았습니다.

な형용사의 활용

1) ～な+명사 : 명사를 꾸밀 때 어미인「だ」를「な」로 바꾸고
　　　　　　　명사에 붙입니다.

　　① にぎやかな　まち　　② しずかな　きっさてん
　　　번화한 거리　　　　　　　　조용한 커피숍

2)～×です : 존댓말로 만들 때에는 어미「だ」를 빼고
　　　　　　「～です」를 붙입니다.

　　① べんりです。　　　　② しんせつです。
　　　편리합니다.　　　　　　친절합니다.

3)～じゃ　ありません :부정형으로 만들 때는 어미를「だ」
　　　　　　　　　　　를「じゃ」로 바꾸고「～ありません」
　　　　　　　　　　　을 붙입니다.

　　① すきじゃ　ありません。② にぎやかじゃ　ありません。
　　　좋아하지 않습니다.　　　　번화하지 않습니다.

4) ～で : 둘 이상의 「な형용사」를 연결할 때는, 어미 「だ」를
「～で」로 바꿉니다.

① にぎやかで べんりです。 ② しずかで きれいです。
번화하고 편리합니다. 　　　　조용하고 깨끗합니다.

5) ～でした :「な형용사」의 과거형의 존경표현을 만들 때는,
어미 「だ」를 빼고 「～でした」를 붙입니다.

① すきでした。　　　② たいへんでした。
좋아했습니다. 　　　힘들었습니다.

● 동사의 종류

1그룹	① 어미가 「る」로 끝나지 않는 모든 동사
	② 어미가 「る」이며, 어미앞이 「a」「u」「o」단인 동사
	예 買う 사다 休む 쉬다 始まる 시작되다
2그룹	어미가 「る」로 끝나고, 어미 앞이 「i」「e」단인 동사
	예 起きる 일어나다 見る 보다 食べる 먹다
3그룹	불규칙활용 동사 2개 来る 오다 する 하다

★예외 1그룹 : 모양은 2그룹인데 활용은 1그룹으로 하는 동사

예 走る 달리다   入る 들어가다   帰る 돌아가다(오다)

● 동사의 ます형 만들기

1그룹 동사	어미 [u]음을 [i]음으로 바꾸고+ます
	예 行く 가다 ⇨ 行きます 갑니다 [か き く け こ] a i u e o
2그룹 동사	어미를 「る」를 떼어내고+ます
	예 食べる 먹다 ⇨ 食べます 먹습니다
3그룹 동사	する 하다 ⇨ します 합니다
	くる 오다 ⇨ きます 옵니다

◉ ます의 활용

ます	ません	ました	ませんでした
~ 입니다	~ 지 않습니다	~ 었습니다	~ 지 않았습니다

예 起きる ⇨ 起きます 일어납니다.
　　 일어나다
　　　　　　　起きません 일어나지 않습니다

　　　　　　　起きました 일어났습니다

　　　　　　　起きませんでした 일어나지 않았습니다

◉ ます형 + に 行く : ~하러 가다

예 映画を 見に 行きます。 영화를 보러 갑니다.

◉ ます형 + たい : ~하고 싶다

예 冷たいものが 飲みたいです。 시원한 것이 먹고 싶습니다.

◉ ます형 + ませんか : ~하지 않겠습니까?

예 いっしょに おひるを 食べませんか。
　　같이 점심 먹지 않겠습니까?

◉ ます형 + ましょう : ~합시다

예 いっしょに 行きましょう。 같이 갑시다.

조사	의미	예문
は	～은/는	わたしは 学生です。 저는 학생입니다.
か	～까?	森山さんは 学生ですか。 모리야마 씨는 학생입니까?
の	～의	フランスの ぼうしです。 프랑스 모자입니다.
と	～와,～랑	りょうしんと あねと おとうとです。 부모님과 언니랑 오빠입니다.
よね	～지?	8時から サッカーですよね。 8시부터 축구지죠?
～から ～まで	～부터 ～까지	デパートは 何時から 何時までですか。 백화점은 몇 시부터 몇 시까지 입니까?
に	～에	ソウルの 南に あります。 서울의 남쪽에 있습니다.
にも	～에도	韓国にも パンダが いる？ 한국에도 팬더가 있어?
って	～라는 건	ソウル大公園って どこに あるの？ 서울대공원이란건 어디에 있어?

조사	의미	예문
の？	～야?	日本は さむいの？ 일본은 추워?
を	～을	ドレスを 着ました。 드레스를 입었습니다.
へ	～에	今から パーティーへ。 지금부터 파티에!
で	～으로	夢のような 気分で 踊りました。 꿈과 같은 기분으로 춤을 췄습니다.
	～에서	レストランで 食事します。 레스토랑에서 식사합니다.

생생 한마디

おはようございます。　(아침인사)안녕하세요.

こんにちは。　(낮인사)안녕하세요.

こんばんは。　(밤인사)안녕하세요.

おやすみなさい。　안녕히 주무세요.

いただきます。　잘 먹겠습니다.

ごちそうさま。　잘 먹었습니다.

いってきます。　다녀오겠습니다.

いってらっしゃい。　다녀오세요.

ありがとうございます。　고맙습니다.

どういたしまして。　천만예요.

すみません。　죄송합니다.

だいじょうぶです。　괜찮아요.

생활일본어 한마디

じゃ、また　あした。　　자, 내일 봐요.

おさきに　しつれい　します。

먼저 실례하겠습니다.

おつかれさまでした。　　수고했어요.

ちょっと すみません。　　저기, 죄송합니다만.

おひさしぶりです。　　오랜만입니다.

おげんきですか。　　잘 지내세요?

おかげさまで。　　덕분예요.

おだいじに。　　몸조리 잘 하세요.

생생 한마디

おつりです。 거스름돈 입니다.

サイズが　あいません。 사이즈가 없습니다.

まけて　ください。 깍아주세요.

ぜいこみ(税込み) 세금포함

よかったですね。 다행이네요.

かんぱい！ 건배

がんばって　ください。 힘내세요.

どうぞ。 자요.

かわいい。 귀여워.

とても　やさしいですね。 매우 자상하시네요.

すごいですね。 대단해요.

よく　にあいます。 잘 어울려요

생생 한마디

おなかが　いっぱいです。　배불러요.

おかわり　ください。　더 주세요.

いちにんまえ(一人前)　일인분

もちかえりで　おねがいします。
　싸 주세요.

だいすきです。　정말 좋아합니다.

会(あ)いたいです。　보고싶어요.

むねが　どきどきします。
　가슴이 두근거립니다.

彼氏(かれし)／彼女(かのじょ)。
　남자친구／여자친구.

WORDS

くだものや 과일가게 | パイナップル 파인애플 | いちご 딸기

ぶどう 포도 | なし 배 | オレンジ 오렌지 | りんご 사과

かき 감 | もも 복숭아 | キウイ 키위 | さくらんぼ 체리

メロン 멜론 | すいか 수박 | バナナ 바나나

WORDS

やおや 채소가게 | にんじん 당근 | はくさい 배추

トマト 토마토 | たまねぎ 양파 | キャベツ 양배추

ねぎ 파 | ほうれんそう 시금치 | なす 가지

きゅうり 오이 | じゃがいも 감자 | さつまいも 고구마

とうがらし 고추 | にんにく 마늘 | まめ 콩

WORDS

公園(こうえん) 공원	恋人(こいびと) 연인	学校(がっこう) 학교	ベンチ 벤치

タクシー 택시 ｜ バスてい 버스정류장 ｜ こうしゅう電話(でんわ) 공중전화

ゆうびんきょく 우체국 ｜ ポスト 우체통 ｜ 薬屋(くすりや) 약국

銀行(ぎんこう) 은행 ｜ こうさてん 교차로 ｜ おうだんほどう 횡단보도

しんごう 신호등 ｜ 病院(びょういん) 병원

さい 코뿔소

くま 곰

キリン 사슴

ぶた 돼지

うま 말

へび 뱀

ライオン 사자

パンダ 팬더곰

しか 사슴

とら 호랑이

うし 소

わに 악어

きつね 여우

さる 원숭이

ぞう 코끼리

うさぎ 토끼

그림으로 익히는 단어-**날씨**

暑い 덥다
あつ

寒い 춥다
さむ

あたたかい 따뜻하다

ずすしい 시원하다

はれる 맑다

くもる 흐리다

春 · 夏 · 秋 · 冬 봄 · 여름 · 가을 · 겨울　　**春夏秋冬** 춘하추동
はる　なつ　あき　ふゆ　　　　　　　　　　　　しゅんか しゅうとう

きせつ 계절　　**にじ** 무지개　　**風** 바람　　**もみじ** 단풍
　　　　　　　　　　　　　　　かぜ

にわか雨 소나기　　**こおる** 얼다　　**はつ雪** 첫눈
　　　あめ　　　　　　　　　　　　　　　　ゆき

雪だるま 눈사람　　**雪がっせん** 눈싸움
ゆき　　　　　　　　ゆき

그림으로 익히는 단어-**날씨**

雨が ふる
あめ
비가 오다

雪が ふる
ゆき
눈이 오다

じしんが おきる
지진이 나다

つゆが はじまる
장마가 시작되다

かみなりが なる
천둥이 치다
いなずまが ひかる
번개가 치다

きりが かかる
안개가 끼다

BONUS

傘を さす 우산을 쓰다 かさ	傘を たたむ 우산을 접다 かさ
雨が やむ 비가 그치다 あめ	雨に ふられる 비를 맞다 あめ
風が ふく 바람이 불다 かぜ	たいふうが 来る 태풍이 오다 く

おいしい 맛있다

まずい 맛없다

しょっぱい 짜다

からい 맵다

すっぱい 시다

にがい 쓰다

食べる 먹다 │ **飲む** 마시다 │ **なめる** 핥다
たべ　　　　　　　　の

ごはん 밥 │ **(朝 · ひる · ゆう)ごはん** (아침 · 점심 · 저녁)밥
　　　　　　　　あさ

おかず 반찬 │ **おやつ** 간식 │ **おかし** 과자

あまい 달다

こうばしい 고소하다

やく 굽다

あげる 튀기다

にる 삶다, 끓이다

いためる 볶다

りょうりを する 요리를 하다 ｜ 切る 자르다
き

あたためる 데우다 ｜ あじみを する 맛을 보다

りょうりが 上手だ(苦手だ) 요리를 잘 한다(못한다)
じょうず　　にが て

うれしい기쁘다

うれしいです기쁩니다

うれしくて기쁘고, 기뻐서

うれしかったです기뻤습니다

うれしくありません기쁘지 않습니다

かなしい슬프다

かなしいです슬픕니다

かなしくて슬프고, 슬퍼서

かなしかったです슬펐습니다

かなしくありません슬프지 않습니다

おこる화내다

おこります화냅니다

おこりません화내지 않습니다

おこりました화냈습니다

おこりませんでした화내지 않았습니다

그림으로 익히는 단어-**감정**

おどろく놀라다

おどろきます놀랍니다

おどろきません놀라지 않습니다

おどろきました놀랐습니다

おどろきませんでした놀라지 않았습니다

泣く울다

泣きます웁니다

泣きません울지 않습니다

泣きました울었습니다

泣きませんでした울지 않았습니다

笑う웃다　笑います웃습니다

笑いません웃지 않습니다

笑いました웃었습니다

笑いませんでした웃지 않았습니다

笑いましょう웃읍시다

幸せだ행복하다
しあわ

幸せです행복합니다
しあわ

幸せで행복하고, 행복해서
しあわ

幸せでした행복했습니다
しあわ

幸せじゃありません 행복하지 않습니다
しあわ

うらやましい부럽다

うらやましいです부럽습니다

うらやましくて부럽고, 부러워서

うらやましかったです부러웠습니다

うらやましくありません부럽지 않습니다

楽しい즐겁다
たの

楽しいです즐겁습니다
たの

楽しくて즐겁고, 즐거워서
たの

楽しかったです즐거웠습니다
たの

楽しくありません즐겁지 않습니다
たの

不安だ 불안하다
ふ あん

不安です 불안합니다
ふ あん

不安で 불안하고, 불안해서
ふ あん

不安でした 불안했습니다
ふ あん

不安じゃありません 불안하지 않습니다
ふ あん

こわい 무섭다

こわいです 무섭습니다

こわくて 무섭고, 무서워서

こわかったです 무서웠습니다

こわくありません 무섭지 않습니다

さびしい 외롭다

さびしいです 외롭습니다

さびしくて 외롭고, 외로워서

さびしかったです 외로웠습니다

さびしくありません 외롭지 않습니다

起きる일어나다　**起きます**일어납니다
お　　　　　　　　　お

起きません일어나지 않습니다
お

起きました일어났습니다
お

起きませんでした일어나지 않았습니다
お

起きましょう일어납시다
お

寝る자다　**寝ます**잡니다
ね　　　　ね

寝ません자지 않습니다
ね

寝ました잤습니다
ね

寝ませんでした자지 않았습니다
ね

寝ましょう잡시다
ね

走る달리다　**走ります**달립니다
はし　　　　　　はし

走りません달리지 않습니다
はし

走りました달렸습니다
はし

走りませんでした달리지 않았습니다
はし

走りましょう달립시다
はし

歩く 걷다　**歩きます** 걷습니다

歩きません 걷지 않습니다

歩きました 걸었습니다

歩きませんでした 걷지 않았습니다

歩きましょう 걸읍시다

立つ 서다　**立ちます** 섭니다

立ちません 서지 않습니다

立ちました 섰습니다

立ちませんでした 서지 않았습니다

立ちましょう 섭시다

座る 앉다　**座ります** 앉습니다

座りません 앉지 않습니다

座りました 앉았습니다

座りませんでした 앉지 않았습니다

座りましょう 앉읍시다

歌う노래하다　　**歌います**노래합니다
うた　　　　　　うた
歌いません노래하지 않습니다
うた
歌いました노래했습니다
うた
歌いませんでした노래하지 않았습니다
うた
歌いましょう노래합시다
うた

踊る춤추다　　**踊ります**춤춥니다
おど　　　　　　おど
踊りません춤추지 않습니다
おど
踊りました춤췄습니다
おど
踊りませんでした춤추지 않았습니다
おど
踊りましょう춤춥시다
おど

話す이야기하다　　**話します**이야기합니다
はな　　　　　　　はな
話しません이야기하지 않습니다
はな
話しました이야기했습니다
はな
話しませんでした이야기하지 않았습니다
はな
話しましょう이야기합시다
はな

그림으로 익히는 단어–동작

遊ぶ 놀다　遊びます 놉니다
あそ　　　　　あそ

遊びません 놀지 않습니다
あそ

遊びました 놀았습니다
あそ

遊びませんでした 놀지 않았습니다
あそ

遊びましょう 놉시다
あそ

働く 일하다　働きます 일합니다
はたら　　　　　はたら

働きません 일하지 않습니다
はたら

働きました 일했습니다
はたら

働きませんでした 일하지 않았습니다
はたら

働きましょう 일합시다
はたら

休む 쉬다　休みます 쉽니다
やす　　　　　やす

休みません 쉬지 않습니다
やす

休みました 쉬었습니다
やす

休みませんでした 쉬지 않았습니다
やす

休みましょう 쉽시다
やす